책을 읽으시기에 앞서 상당 부분 AI 도움을 받았음을 알려드립니다.

삶의 의미란

발 행 | 2024년 1월 18일
저 자 | 윤병서
펴낸이 | 한건희
펴낸곳 | 주식회사 부크크
출판사등록 | 2014. 7. 15 (제2014-16호)
주 소 | 서울특별시 금천구 가산디지털1로 119 SK트윈타워 A동 305호
전 화 | 1670-8316
이메일 | info@bookk.co.kr

ISBN | 979-11-410-6736-6

www.bookk.co.kr

차례

숲의 수호자들

언제나 그랬듯, 평화로운 새벽이 숲을 감싸 안았다.
새들의 지저귐, 나뭇잎 사이를 스치는 바람의 속삭임,
멀리서 들려오는 물소리.
이 모든 것이 숲의 평화로운 아침을 알렸다.

하지만 이 평화는 오래가지 못했다.
숲의 가장자리에서 기계의 소리가 들려왔다.
큰 나무들이 하나둘 쓰러지면서, 숲의 동물들은 불안에
휩싸였다.
이 소식을 들은 숲의 지혜로운 수호자,
올빼미 에드워드가 모든 동물들을 긴급하게 소집한다.

"우리의 숲이 위험에 처했네. 인간들이 숲을 파괴하고
있다네. 우리 모두가 함께 행동해야 할 때야."

에드워드의 말에 숲의 동물들은 걱정스러운 눈빛을
교환했다.
그때, 평소 조용하기만 했던 작은 토끼 루나가 앞으로
나서며 말한다.

"저.. 저희에게도 뭔가 할 수 있는 힘이 있어요. 우리 모두
특별한 능력들을 가지고 있잖아요."

루나의 말에 동물들은 서로를 바라보며 그들 각자의 특별한
능력에 대해 생각났다.
빠른 사슴, 강한 곰, 높이 날 수 있는 독수리, 영리한 여우,
무리지어 사냥하는 포식자 늑대 등등 모두가 자신의 능력을
이용해 숲을 지킬 수 있었다.

그들은 계획을 세우기 시작했다.
숲을 파괴하는 기계를 멈추게 하고, 인간들에게 숲의
중요성을 알리기 위한 작전을 세운다.
이렇게 동물들은 자신들의 집을 지키기 위해 처음으로
서로 의지하며 힘을 합치기 시작한다.

그렇게 그들의 여정은 이제 시작되었다…

에드워드의 지휘 아래, 숲의 동물들은 각자의 역할을 나눠
빠른 동물들은 정찰과 메시지 전달을 맡고, 강한 동물들은
직접적인 방어를 준비하고, 날개가 있는 동물들은
하늘에서 상황을 감시하며 정보를 수집했다.

루나는 자신의 능력, 즉 뛰어난 귀의 기능을 사용하여
인간들의 움직임을 감지하는 역할을 맡았다.
그녀는 숲의 가장자리로 조심스럽게 다가가, 기계들 사이를
숨어 다니면서 인간들의 계획을 엿들었다.

그녀가 들은 것은 꽤나 매우 충격적이었다.
인간들은 숲을 완전히 없앤 후, 그곳에 엄청 거대한 건물을
세우며 그 과정에서 숲에 있는 동물들을 잡아 돈을 벌려는
것이라는 걸 듣고 시간이 얼마 남지 않음을 직감한다.

루나는 서둘러 다른 동물들에게 이 소식을 전했다.
동물들은 숲을 지키기 위해 결전을 준비하기 시작한다.
각자의 능력을 최대한 발휘해 인간들의 계획을 막아야만
했다.

숲을 지키기 위해 밤을 새가며 만반의 준비를··

다음 날, 인간들이 다시 숲으로 들어왔을 때,
그들을 기다리고 있던 것은 숲에 있는 동물들의
예상치 못한 저항이었다.
동물들은 각자의 능력을 사용해 기계들을 방해하고,
인간들을 혼비백산하게 만들어버린다.

사슴들은 빠른 속도로 기계 주변을 뛰어다니며
작업자들의 주의를 분산시켰다.
곰들은 그들의 힘을 사용해 일부 기계를
부수고 고장이 나게 만들어서 무력화했다.
독수리와 올빼미들은 하늘에서 날아와 인간들의
주변을 이리저리 날아다니면서 위협했다.

하지만 인간들도 쉽게 물러나지 않았다.
그들은 더 많은 기계와 인력을 동원해 숲을 공격했다.
동물들도 사방팔방에서 조금이라도 더 도움이 되고자
멀리서라도 와준다.

그렇게 숲과 동물들은 점점 더 위험에 빠져드는데…

숲이 점점 파괴되어 가는 가운데, 동물들의 저항도
한계에 다다르고 있었다.
그럼에도 불구하고, 그들은 포기하지 않았다.
이 숲은 그들의 집이자,
그들의 삶의 일부였기 때문이다.

이때, 숲의 가장 오래되고 현명한 거북, 토마스가 나섰다.
그는 평소 말이 없고 느린 걸음으로만 알려져 있었지만,
그의 지혜는 모두가 존경하는 것이었다.

토마스는 동물들을 모아 놓고 말했다.
"힘과 속도만이 해결책이 아니다.
우리는 더 지혜롭게 행동해야 한다.
인간들에게 숲의 중요성을 알리고,
그들의 마음을 바꿔야 한다."

동물들은 토마스의 말에 고개를 끄덕였다.
그들은 새로운 계획을 세웠다.
숲을 지키기 위한 싸움을 계속하는 한편,
인간들에게 숲의 가치와 중요성을 전달하는
방법을 찾기 시작했다.

동물들은 인간들에게 접근하는 새로운 방법을 찾았다.
그들은 숲의 아름다움과 생명의 중요성을
보여주는 데 집중했다. 날아다니는 새들, 뛰노는 사슴,
신비로운 밤의 숲 등을 통해 인간들에게 감동을 주려 했다.

이러한 노력은 서서히 결실을 맺기 시작했다.
일부 인간들은 동물들의 메시지에 마음을 열었고,
숲을 파괴하는 것에 대한 의문을 품기 시작했다.
숲에 대한 인간들의 태도가 서서히 바뀌고 있었다.

마침내, 인간들 중 일부가 동물들과 숲을 보호하려는
운동을 시작했다.
그들은 숲의 파괴를 멈추고,
자연과 조화롭게 살아가는 방법을 찾기 시작했다.

동물들과 인간들 사이에 새로운 이해와
존중이 싹트기 시작했다.
숲은 다시금 평화를 되찾았고,
동물들은 자신들의 집을 지킬 수 있었다.

'숲의 수호자들'은 이렇게 그들의 용기와 지혜로
위기를 극복하고, 숲과 인간 사이의 조화를 이루어냈다.
그들의 이야기는 숲 속 깊은 곳에서 오래도록
전해져 내려갈 것이다.

궁의 내란

조선 시대의 화려하고 엄숙한 궁궐.
태양이 높이 떠오른 하늘 아래,
궁 안은 평소와 다를 바 없이 평화롭고 조용했다.
하지만 이 평화는 겉치레에 불과했다.
궁궐의 깊은 곳에서는 권력을 찬탈하기 위한 음모가
서서히 자라고 있었다.

왕은 자신의 자리와 지위가 위태롭다는
소문을 듣고 불안에 휩싸였다.
그는 신하들 사이에서 자신에 대한 충성을
의심하기 시작했고 자신의 호위병들 또한 의심한다.
한편, 왕의 친척인 한 양반은 왕위를 차지하기 위해
은밀히 이곳저곳에서 세력을 모으고 있었다.
그는 치밀한 계획 하에 다른 사람들과 함께
왕의 약점을 이용해 권력을 잡으려 했다.

양반의 계획에는 궁중 내부의 한 여인이 그의 계획에는
중요한 역할을 맡고 있었다.
그녀는 왕에게 매우 가까운 위치에 있었으며,
양반과는 오랜 연인 사이였다.
하지만 그녀는 날이 갈수록 왕과 양반 사이에서 갈등하며,
자신의 충성을 어디에 두어야 할지 고민하고 있었다.

그러던 어느 날, 궁중에서 한 신하가
의문의 죽음을 당했다.
이 사건은 궁 안의 긴장을 최고조로 끌어올렸다.
왕은 이 사건이 양반의 소행이라고 확신하고 의심했지만,
확실한 증거가 없었다.
한편, 양반은 이 사건을 기회로 삼아 더 크고 심하게
왕에 대한 불만을 키워나갔다.

그렇게 궁 안은 두 세력 사이의 긴장이 고조되어 갔다.
왕은 자신의 지위를 지키기 위해,
양반은 권력을 차지하기 위해 서로를 향해
치밀한 계획을 세워나갔다.
그 속에서 여인은 누구에게도 말할 수 없는
비밀을 안고 있었다.
그 비밀은 곧 모든 것을 바꿔놓을 힘을 지니고 있었다.

왕궁의 고요한 밤, 은밀한 발걸음이 복도를 지나갔다.
양반의 계획이 실행에 옮겨지려는 순간이었다.
그는 자신의 가장 충실한 수하들과 함께 왕을 제거하고
왕위를 차지할 대담한 계획을 세웠다.
이 계획의 성공 여부는 그들의 미래를 결정짓는
중대한 일이었다.

한편, 여인은 자신의 방에서 불안한 마음으로
밤을 지새우고 있었다.
그녀는 양반과 왕 사이에서 갈등하며,
누구에게도 말할 수 없는 비밀을 안고 있었다.
그 비밀은 바로 왕의 아이를 임신한 것이었다.
그녀는 이 아이가 왕의 후계자가 될 것인지,
아니면 양반의 새로운 왕조의 일부가 될 것인지
고민하고 있었다.

밤이 깊어가던 그때, 궁궐 안에는 숨 막히는
긴장감이 감돌았다.
양반의 수하들은 조용히 왕의 침실로 향했다.
그러나 뜻밖의 일이 발생했다.

왕의 충신인 한 무관이 이들의 움직임을 눈치채고,
즉시 경계를 강화했다.
왕은 이 소란을 듣고 무슨 일인지 알아보려 했다.

순식간에 궁궐 안은 혼란에 휩싸였다.
양반의 수하들과 왕의 충신들 사이에
치열한 싸움이 벌어졌다.
여인은 이 소란 속에서 자신이 해야 할 일을 깨달았다.
그녀는 불안한 마음을 뒤로한 채,
왕에게 진실을 밝히기로 결심했다.

한편, 싸움은 점점 더 격렬해졌다.
양반의 수하들은 강력했지만,
왕의 충신들도 쉽게 물러서지 않았다.
결국, 그 치열한 싸움 속에서 양반은 쓰러졌고,
그의 계획은 실패로 돌아갔다.

여인은 왕에게 자신의 비밀을 밝혔다.
왕은 처음에는 충격을 받았지만,
곧 그녀에게 따뜻한 마음을 보여주었다.
왕은 자신의 아이가 태어날 것이라는 소식에
마음이 평온해졌다.
그는 이 아이를 통해 자신의 왕조가 계속
이어질 것임을 깨달았다.

내란의 위협이 종식된 후, 궁궐은 다시 평화를 되찾았다.
양반의 반란은 실패로 끝났고,
그의 추종자들은 대부분 체포되어 처벌을 받았다.
왕은 이 사건을 통해 누가 진정으로 자신을 위하는지
알게 되었으며, 궁중의 정치적 분위기는 크게 달라졌다.

여인은 왕의 아이를 건강하게 출산했다.
아이는 왕궐의 새로운 기쁨이 되었고,
여인은 왕의 신임을 얻어 궁궐에서 중요한 위치를
차지하게 되었다.
왕은 아이를 통해 자신의 왕조가 안정적으로
이어질 것이라는 희망을 보았다.

이 사건은 왕에게 많은 것을 가르쳐 주었다.
그는 신하들을 더 신중하게 선택하고,
자신에게 충성하는 이들을 매우 중요한 자리에 앉혔다.
또한, 그는 여인과 그녀의 아이에게
더 많은 사랑과 보호를 베풀며,
가족의 중요성을 깨달았다.

시간이 지나면서,
그 아이는 매우 탁월하고 지혜롭고 강한 왕자로 성장했다.
왕은 그 아이에게 자신의 지혜와 경험을 전수했고,
왕자는 어려움과 도전을 극복하는 법을 배웠다.
왕국은 그 아이를 통해 더욱 번영하고 평화로워졌다.

그렇게 왕의 왕조는 계속 이어졌고,
궁궐 안의 내란은 오랜 전설로 남게 되었다.
그렇게 그들의 이야기는 끝났지만,
그들의 이야기는 세월을 넘어 계속 전해져 내려갔다.
그들의 용기와 지혜, 그리고 사랑은 오랜 시간 동안
사람들의 마음속에 살아 숨 쉬었다.

부모와 자녀 사이

철수는 어린 나이에 부모님의 이혼을 경험했습니다.
그의 엄마는 바쁜 직장 생활을 하면서 철수를 키웠고,
아빠는 다른 도시에서 새로운 삶을 시작했습니다.
하지만 아빠는 철수와의 연결고리를 놓지 않았습니다.

아빠는 매일 철수를 보기 위해 시간을 내어
도시를 오갔습니다.
그들의 만남은 짧지만 소중했습니다.
아빠는 철수에게 책을 읽어주고 공부도 도와주고,
그의 학교 생활에 대해 이야기를 나누었습니다.

철수의 엄마도 자신의 방식으로 철수를 사랑했습니다.
직장에서 돌아온 후에도 철수의 숙제를 도와주고,
함께 시간을 보냈습니다.
그녀는 철수가 부모님의 이혼으로 인해
소외감을 느끼지 않도록 최선을 다했습니다.

그렇게 시간이 흐르면서 철수는 자신의 상황을
이해하고 받아들였습니다.
그는 부모님의 사랑이 변하지 않았음을 깨달았고,
두 사람 모두 그의 삶에 중요한 역할을 했습니다.

철수는 가족이라는 것이 함께 사는 것만이 아니라
서로를 사랑하고 지지하는 것임을 깨달았습니다.
그는 부모님과의 각각 다른 관계를 소중히 여겼고,
그 안에서 행복을 찾았습니다.

충성스러운 친구이자 그림자

산 깊은 곳에 숨겨진 작은 오두막에서,
중년의 남성, 김현수가 혼자 살고 있다.
그는 세상과 단절된 채 자연 속에서 평화를 찾았지만,
그의 고독한 생활에는 한 가지 특별한
동반자가 있었다.
한 마리의 충직한 개, 두리.

두리는 오랜 현수의 유일한 친구다.
하지만 현수는 두리를 늘 집 근처에 묶어두었고,
산책은커녕 제대로 된 관심조차 주지 않았습니다.
두리는 그런 주인의 사랑을 갈구하며
스트레스를 받고 힘들어했습니다.
늘 밥만 챙겨주고 그 외에 자신의 다른 필요들을
전혀 알아주지 않는 주인을 바라만 본다.

어느 날, 그의 오두막에서 좀 떨어진 이웃이
현수의 오두막으로 찾아간다.
그는 현수에게 두리의 상태에 대해 우려를 표하며,
동물도 사랑과 관심이 필요하고 산책도 꼭 필요하다는
진심어린 조언을 말했습니다.
처음엔 그의 말에 무관심했던 현수였지만,
지나다니면서 본 두리의 슬픈 눈을 바라보며
그의 말에 귀를 기울이기 시작했습니다.

이웃의 조언을 듣고 나서,
현수는 두리를 더 자주 산책시키기 시작했습니다.
산책을 하며 두리는 자신의 보금자리와 주인을 향한
충성심이 깊어지며 새로운 환경과 자연을 만끽했고,
현수는 그렇게 두리와의 관계가 점점 깊어지는 것을
느꼈습니다.
두리의 행복한 모습을 보며 현수는 진정한 친구의
의미와 동물에 대한 책임감을 깨닫게 되었습니다.

그렇게 그는 아무리 동물일지라도 사람처럼
상호간의 관계를 쌓고 산책을 해야하는 필요성을 느끼며
개와 함께 지내며 서로가 중요한 것을 느끼며
그의 개를 향한 마음이 변화되가며 살아간다.

바우의 세상

바우는 눈을 떴다. 주변은 조용했다.
그는 자신이 누워 있는 부드러운 잔디 위를 바라보며,
하늘을 향해 귀를 쫑긋 세웠다.
가을의 바람이 그의 털 사이로 스며들었고,
그는 무언가를 느끼려고 애썼다.

그는 자신이 어디에 있는지,
어떻게 여기까지 왔는지
기억해내려 했다.
그의 기억은 흐릿했지만, 조금씩 조각이 맞춰졌다.
어린 시절, 그는 한 가족과 함께 살았다.
그들은 그를 사랑했고, 그도 그들을 사랑했다.
하지만 시간이 흘러 모든 것이 변했다.
가족은 떠나고, 그는 혼자 남겨졌다.

바우는 일어나서 주변을 둘러보았다.
넓은 공원이었다.
아이들이 뛰어노는 소리,
멀리서 들리는 자동차 경적 소리가
가을의 고요함을 깨뜨렸다.
그는 사람들 사이를 거닐었다.
그들은 서로 이야기하고, 웃고, 삶을 살아가고 있었다.
바우는 사람들을 관찰했다.
그들의 행복한 모습, 때로는 슬픈 모습,
그리고 그들의 복잡한 관계들.

그는 깊은 생각에 잠겼다.
'행복이란 무엇인가? 사랑이란 정말 영원한 것일까?'
바우는 자신도 사랑을 경험했던 때를 떠올렸다.
그 때의 따뜻함, 안정감,
그리고 무엇보다도 중요했던 연결감.
그러나 이제 그는 혼자였다.
그는 자신의 삶을 돌아보며, 인간과 개,
그리고 세상에 대해 더 깊이 생각하기 시작했다.

이야기는 바우가 세상을 여행하며 다양한 인간들과 만나고,
그들의 삶을 관찰하며,
자신만의 철학을 발전시키는 과정을 따른다.
그는 삶의 의미, 사랑, 우정,
그리고 자신의 과거에 대해 더 깊이 탐구하며,
결국 자신만의 답을 찾아나가는 여정을 계속한다.

바우는 그의 생각에 잠겨 있는 동안,
하나의 특별한 만남이 그를 기다리고 있었다.
작은 공원의 벤치에 앉아 있는 한 노인이
그의 관심을 끌었다.
노인은 조용히 바우를 쳐다보았고,
그의 눈에는 이야기할 것이 가득 차 있었다.
바우는 노인에게 다가갔고,
노인은 부드럽게 그의 머리를 쓰다듬었다.

노인, 조지는 자신의 이야기를 바우에게 들려주었다.
그는 한때 사랑하는 가족과 함께 살았지만,
이제는 혼자였다.
조지의 이야기는 바우의 마음에 깊은 울림을 주었다.
그들은 서로 다른 종이지만,
삶과 손실에 대한 경험은 비슷했다.
바우는 조지와의 만남을 통해,
삶이 공유되는 순간들로 이루어진다는 것을 깨달았다.

시간이 흘러, 겨울이 찾아왔다.
바우는 여전히 그의 여정을 계속했다.
그는 이제 겨울의 추위 속에서도 살아가는 법을 배웠다.
그는 도시의 다른 구석구석을 탐험하며,
거리의 다른 개들과 만나고,
삶의 다양한 형태를 관찰했다.

한 추운 밤, 바우는 작은 강아지를 만났다.
강아지는 길을 잃었고, 두려워하고 있었다.
바우는 그 강아지를 보호하고,
그를 안전한 곳으로 이끌었다.
이 경험을 통해 바우는
책임감과 보호의 중요성을 깨달았다.
그는 더 이상 혼자가 아니었다.
이제 그는 작은 강아지를 돌보는 사명을 가지게 되었다.

봄이 되자, 세상은 다시 살아났다.
바우와 작은 강아지는 이제 불가분의 관계가 되었다.
바우는 강아지에게 삶의 기술을 가르쳤고,
둘은 함께 삶의 기쁨을 나누었다.
바우는 강아지를 통해 새로운 삶의 목적을 발견했다.

그러던 어느 날, 바우는 오래전 주인을 만났다.
주인은 바우를 찾고 있었고,
그를 다시 집으로 데려가고 싶어했다.
바우는 자신의 과거와 현재 사이에서 선택해야 했다.
그러나 그는 이미 자신의 길을 찾았다는 것을 깨달았다.
그의 집은 이제 여기,
자신이 만든 새로운 가족과 함께 있는 곳이었다.

여름이 되면서, 바우와 강아지는 더 많은 모험을 경험했다.
그들은 새로운 친구들을 만나고,
서로의 강한 유대감을 더욱 깊게 다져나갔다.
그들은 도시 곳곳을 탐험하며, 새로운 경험을 쌓고,
서로에 대해 더 많이 배웠다.
여름의 태양 아래에서,
바우는 자유와 즐거움의 진정한 의미를 깨달았다.

그러나 여름의 끝자락에서, 갑작스러운 사건이 발생했다.
작은 강아지가 아프기 시작했고,
바우는 처음으로 두려움과 불확실성을 느꼈다.
그는 강아지를 도와주기 위해 모든 것을 했고,
결국 강아지는 회복했다.
이 경험을 통해 바우는 삶의 취약성과 함께 강한 유대의
힘을 다시 한번 느꼈다.

한 해가 다시 돌아오고, 바우는 자신의 여정을 돌아보았다.
그는 많은 것을 배웠고, 경험했고, 삶은 이제 완전히
달라져 그는 더 이상 과거의 그 개가 아니었다.
그는 성장했고, 자신만의 철학을 발전시켰다.

가을의 낙엽이 지는 가운데,
바우는 자신의 여정에 대해 생각했다.
사랑과 손실, 우정과 책임감, 자유와 성장에 대해 사색했다.
그는 더 이상 혼자가 아니었다.
그의 곁에는 항상 작은 강아지가 있었고,
그들은 함께 세상을 경험했다.

바우의 이야기는 겨울의 눈 내리는 밤에 마무리된다.
그는 작은 강아지와 함께 눈 덮인 공원을 걷고 있었다.
그들은 함께 노는 동안, 바우는 자신의 여정을 되돌아보며,
자신이 얼마나 많이 변했는지를 깨달았다.

바우는 이제 삶의 진정한 의미를 찾았다고 느꼈다.
그것은 사랑, 우정, 그리고 삶의 순간들을
함께 나누는 것이었다.
그는 더 이상 무엇을 찾아 헤매지 않았다.
그의 집은 여기, 지금 이 순간,
그의 곁에 있는 작은 강아지와 함께 있었다.

바우의 길었던 여정은 이렇게 끝이 났지만,
그의 또 다른 여정은 계속된다.
그는 매일 새로운 것을 배우며,
삶을 충실히 살아간다.
그리고 그는 항상 알고 있다.

삶은 변화무쌍하고, 진정한 가치는 그 순간들
속에 있다는 것을.

거북이의 여행

옛날 옛적에, 숲 속에 사는 작고 느린 거북이가 있었습니다.
거북이는 항상 자신의 속도에 대해 불만이 많았습니다.
다른 동물들처럼 빠르게 달리고 싶었지만,
그것은 불가능한 일이었습니다.

어느 날, 거북이는 큰 결심을 하고 멀리 여행을 떠나기로
결정했습니다.
여행을 통해 무언가를 배우고,
자신의 속도에 만족할 수 있기를 바랐습니다.

거북이는 길을 나섰고,
그의 느린 걸음걸이로 한 걸음 한 걸음 나아갔습니다.
길 위에서 여러 동물들을 만났습니다.
빠른 토끼, 날쌘 사슴, 그리고 강한 호랑이도 만났습니다.
하지만 거북이는 그들과 다르다는 것을 깨달았습니다.

여행을 계속하면서 거북이는 많은 것을 배웠습니다.
그는 느린 걸음으로도 아름다운 풍경과 꽃을 보고,
맑은 강물을 듣고, 신선한 공기를 맛볼 수 있다는
것을 알게 되었습니다.
그는 빠르게 지나치는 것들이 얼마나 많은지 깨달았고,
자신의 속도가 오히려 세상을 더 깊이 이해하고
즐길 수 있게 해준다는 것을 알게 되었습니다.

마침내 거북이는 여행을 마치고 집으로 돌아왔습니다.
그는 이제 자신의 속도를 자랑스럽게 여겼고,
다른 동물들에게도 그동안 자신이 배운 교훈을 전했습니다.
자신의 속도와 능력을 받아들이고 그 안에서
행복을 찾는 것, 그것이 거북이가 배운 교훈이었습니다.

그날 이후로,
숲 속의 모든 동물들은 서로의 차이를 존중하며
더 행복하게 살아갔습니다.
거북이의 여행은 그에게도,
숲 속 친구들에게도 큰 교훈을 남겼습니다.
그리고 거북이는 여전히 느리지만,
그의 마음은 더 이상 느리지 않았습니다.

시간의 향기

어린 시절, 주인공 준호는 시골 마을에서 자랐습니다.
그의 할머니는 항상 이야기했습니다.
"시간은 너의 가장 소중한 보물이야.
그것을 아끼고, 현명하게 사용하렴."
준호는 어린 마음에 그 말의 뜻을 제대로 이해하지
못했습니다.

성장하여 도시로 이주한 준호는 바쁜 일상에 쫓겨
시간의 소중함을 잊어갔습니다.
그의 삶은 성공과 돈, 명예에만 초점이 맞춰져 있었지요.

하루는 준호가 고향을 방문하게 됩니다.
할머니의 오래된 집,
어린 시절의 추억들이 그를 맞이했습니다.
그곳에서 그는 어릴 적 할머니가 해주던
이야기와 시간의 가치에 대해 다시금 생각하게 됩니다.

준호는 할머니의 말씀을 되새기며,
자신의 삶을 되돌아보기 시작했습니다.
그는 깨달았습니다.
진정한 행복과 성공은 시간을 어떻게 사용하는가에
달려 있다는 것을 말입니다.

준호는 삶의 방향을 바꿉니다.
그는 이제 가족, 친구들과의 시간을 소중히 여기고,
자신의 열정을 따르기로 결심합니다.
그는 더 이상 물질적 성공에만 집착하지 않고,
진정한 행복을 찾아가기 시작했습니다.

준호는 마침내 할머니의 말씀이 무엇을 의미하는지
깨닫습니다.
시간은 되돌릴 수 없는 소중한 선물이며,
그것을 어떻게 사용하는지가 우리의 삶을
결정한다는 것을…

별들의 속삭임

소박한 마을에서 살고 있는 열정적인 청년, 현우가 있다.
현우는 어릴 적부터 별을 사랑했고,
천문학자가 되는 것이 꿈이었습니다.
하지만 현우의 가족은 그의 꿈을 이해하지 못했고,
현우에게는 천문학을 공부할 기회가 없었습니다.

현우는 매일 밤하늘을 바라보며 자신의 꿈을
그리워했습니다.
그러나 현실의 어려움과 가족의 반대에 부딪혀
그의 꿈은 점점 멀어져만 갔습니다.

어느 날, 마을에 천문학자가 방문합니다.
그는 현우에게 별의 신비와 우주에 대한 지식을
전해줍니다.
현우는 이 경험을 통해 자신의 꿈에 대한 열정이
다시 불타오르기 시작했습니다.

그의 열정과 모습을 본 천문학자는 현우의 재능을
알아보고 그를 도시의 대학으로 데려가 천문학을
공부할 수 있도록 성심성의껏 도와줍니다.
현우는 그분이 주신 기회를 잡고 열심히 공부하며
자신의 꿈을 향해 나아갑니다.

대학에서의 과제와 공부는 현우에게 많은 도전을 주었지만,
그는 결코 포기하지 않고 계속해서 노력했습니다.
결국 그는 우수한 성적으로 졸업하고,
자신의 꿈인 천문학자가 됩니다.

현우는 마을로 돌아와 별에 대한 지식과 경험을 나누며,
다른 젊은이들에게 꿈을 향해 나아갈 용기를 주었습니다.
그는 꿈을 이루기 위한 여정이 얼마나 중요한지를 깨닫고,
자신의 이야기를 통해 다른 이들에게 영감을 주었습니다.

여유로운 삶의 멜로디

도시의 아침은 항상 분주했다.
거리는 자동차와 사람들로 가득 차 있었고,
모두가 바쁘게 걸음을 옮기며 하루를 시작했다.
다른 사람들과 다를 바 없이 바쁘게 살아오던 준혁은
이 속에서 자신만의 속도로 살아가기로 결심했다.
그는 매일 아침 조용한 공원을 산책하며 하루를 시작했다.
바쁘게 살며 본인이 하는 일에 능력을 키우는 것이 좋지만
그 안에서 여유라는 것을 느끼며 살아가는 것이
더 의미 있고 행복한 삶이라는 것을 깨달으면서
살기위해 노력하려 한다.

그렇게 결심한 준혁은 다음 날,
일상에서 여유를 찾기 위해 노력하려고 회사에 사직서를
내고 회사를 나와서 점심시간에는 항상 공원 벤치에서
책을 읽고 난 후에는 카페에서 차를 마시며
하루를 정리했다.
그에게 중요한 것은 시간을 쫓기보다는 시간을
즐기는 것이었다.

천천히 준혁의 생활은 여유로운 삶으로 변하기 시작했다.
그는 더 이상 일에 쫓기지 않고 자신이 하고 싶었던 일을
하면서 취미 생활도 즐기고 작은 것들에서 행복을 찾았다.
그리고 주말에는 친구들과 함께 수다를 떨며 놀고
자연 속을 산책하며 대화를 나눴고,
평일 저녁에는 가족과 함께 시간을 보냈다.

여유로운 삶을 살면서 준혁은 많은 것을 깨달았다.
그는 자신의 삶을 다시 사랑하게 되었고,
주변 사람들과의 관계도 깊어졌다.
그에게는 여유가 그저 단순히 시간을 보내는 것이 아니라,
자신의 삶의 질을 높이는 중요한 요소임을 깨달았다.

준혁은 이제 자신의 삶을 새롭게 시작했다.
남들 눈에 좋아 보이거나 멋있는 일과 삶이 아닌,
본인의 행복과 성취감을 느끼며 살아가는 것이다.
그는 더 이상 분주함에 휩쓸리지 않고,
자신만의 속도로 삶을 살아간다.
자신이 그간 하고 싶던 일, 배우고 싶던 일, 취미를 하며
그렇게 그는 매일을 여유롭게 즐기며,
삶의 작은 기쁨들을 발견했다.

그리고 그 여유로운 삶을 본인만 알고 느끼며 사는 것이
아니라 주변의 지인들에게도 어떻게 일도 하면서 여유롭게
삶을 의미 있으면서 행복하게 즐기며 사는지에 대하여
널리 전파하며 그렇게 점점 더 많은 사람들이 일과 삶에
쫓기듯이 살지 않고 본인들의 삶에 행복과 의미를 두며
살아가는 사람들이 날이 갈수록 많아졌다.

돈이나 능력도 중요하지만 그뿐만이 아니라
어떻게 살아가야 하는가의 대해서 생각하는 삶을
생각하며 살기를 바란다는 말을 준혁은 늘 전하였다.

만화경 속의 인생

세계의 모든 구석에서,
저마다의 다양한 삶이 펼쳐진다.
뉴욕의 활기찬 거리에서,
마야는 무용가로서의 꿈을 좇으며
발레리나가 되기 위해 갖은 노력을 한다.

멀리 인도의 조용한 마을에서는 아르준이
천문학에 대한 공부를 하며 여기저기서 조사를 하면서
열정을 키우며 별들을 관찰한다.

이와 동시에,
케냐의 사바나에서는 레아가 보호구역에서
야생 동물을 돌보며 생태학자로서의 길을 걷는다.

서로 다른 나라, 다른 직업을 가진 세 사람
마야, 아르준, 레아는 서로 열심히 각자의 꿈을 향해
나아간다.

그들은 서로 다른 문화와 환경 속에서 자랐지만,
모두 같은 열망을 가지고 있다.
성공을 향한 그들의 여정은 고난과 시련,
기쁨과 승리로 가득하다.
이 과정에서, 그들은 자신만의 독특한 방식으로
문제를 해결하고, 자신만의 독특한 방식으로
세상과 소통한다.

그러던 어느 날, 우연한 사건이 이 세 사람을
하나의 사건에 얽히게 만든다.
국제적인 환경 회의에서 마야의 무용 공연,
아르준의 천문학 발표, 레아의 환경 보호 캠페인이
서로 맞물린다.
이들의 만남은 그들 각자의 삶에 새로운 관점을 제공하며,
서로 다름을 이해하고 존중하는 중요한 교훈을 배운다.

이들의 이야기는 서로 다른 색깔의 조각들이
하나의 아름다운 그림을 만들 수 있음을 보여준다.
각자의 개성과 재능이 모여 더 큰 영향력을 발휘하며,
서로 다른 배경과 경험이 오히려 그들을 더 강하게 만든다.
그들은 이제 서로 다름을 이해하고 존중하는 것이
얼마나 중요한지를 알게 된다.

모든 인간이 각자 독특하고 소중하며,
우리 모두가 서로 다른 방식으로 세상에 기여할 수 있다는
메시지를 전달한다.
마야, 아르준, 레아의 이야기는 우리 모두가 서로 다르지만,
그 차이를 인정하고 받아들이며 함께 성장할 수 있는
무한한 가능성의 세계를 열어준다.
이들의 이야기는 많은 사람들에게 각자의 개성을
소중히 여기고 타인의 다름을 존중하는 삶의 중요성을
일깨운다.

마야, 아르준, 레아는 서로의 삶에 영감을 주고받으며
더 큰 꿈을 꾸기 시작한다.
마야는 무용을 통해 세계의 아름다움과 갈등을 표현하는
새로운 방식을 찾아낸다.
아르준은 천문학을 통해 인간이 우주와 어떻게
연결되어 있는지를 탐구한다.
레아는 야생 동물 보호를 넘어 지속 가능한 환경 보존에
대한 국제적인 인식을 높이는 데 기여한다.
이렇게 각자의 일과 방식들이 다르지만 좋은 영향력으로
수많은 사람들에게 가슴깊이 울리게 한다.

이들의 노력과 열정은 주변 사람들에게도 영향을 미친다.
마야의 무용은 사람들에게 감동을 주고,
아르준의 연구는 과학계에 새로운 시각을 제공한다.
레아의 환경 보호 활동은 많은 이들이 자연과의 조화를
생각하게 만든다.
이들 세 사람의 이야기는 개인의 노력이 어떻게
세상을 변화시킬 수 있는지를 보여준다.

마야, 아르준, 레아는 결국 자신들의 꿈이 어떻게
다른 사람들의 삶과 연결되어 있는지 깨닫는다.
그들은 자신만의 길을 걸으며 타인과의 관계 속에서
성장하고, 서로 다른 삶의 경험을 통해 풍부해진다.
그들의 이야기는 서로 다른 길을 걷는 모든 사람들이
결국 하나의 커다란 그림의 일부임을 상기시킨다.

여유로운 순간

매일 같은 길을 걷던 지훈은 어느 날,
평소와 다른 길로 발걸음을 옮겼다.
그 길은 조용하고, 고즈넉한 공원으로 이어졌다.
벤치에 앉아 한가로운 햇살을 맞으며,
그는 자신이 얼마나 바쁘게 살아왔는지 깨달았다.

그 순간, 지훈의 마음에 변화가 찾아왔다.
그는 핸드폰을 끄고, 주변의 자연을 관찰하기 시작했다.
공원의 작은 연못에 비치는 햇살,
나뭇잎 사이를 스치는 바람의 소리,
멀리 들려오는 아이들의 웃음소리에 귀 기울였다.

시간이 어떻게 흘러가는지 모르는 사이,
지훈은 자신의 내면에 평화를 느꼈다.
그는 더 이상 미래의 불안이나 과거의 후회에
얽매이지 않았다.
그저 그 순간, 현재에 집중하며 여유를 만끽했다.

해가 지기 시작할 무렵,
지훈은 천천히 일어나 집으로 돌아갔다.
그의 마음은 이제 가벼웠고,
얼굴에는 오랜만에 미소가 번졌다.
그는 앞으로의 삶을 더 여유롭고 의미 있게
살아가기로 결심했다.

그날 이후,
지훈은 매일 조금씩 시간을 내어 자신만의 여유를 찾았다.
작은 것에서 기쁨을 찾고, 삶의 소중함을 깨달으며,
그는 진정한 행복을 느꼈다.

하늘 아래 작은 꿈

한 작은 마을에, 네 명의 친구가 있었다.
지혜로운 채민, 창의적인 하늘, 용감한 수진,
그리고 친절한 동근.
이들은 학교에서 성적이 좋은 채민을 부러워했지만,
채민은 늘 뭔가 부족함을 느꼈습니다.

어느 날, 마을에 예기치 못한 문제가 발생했습니다.
댐이 무너져 마을이 물에 잠길 위기에 처했습니다.
채민은 책에서 배운 지식으로 문제를 해결하려 했지만,
해결책을 찾지 못했습니다.

그때, 하늘은 창의적인 아이디어를 냈습니다.
그녀는 마을 주변의 자연을 활용하여 임시 댐을
만들 제안을 했습니다.
수진은 그 아이디어를 실행하기 위해 용감하게 자원했고,
동근은 마을 사람들에게 도와달라며 친절하게 요청했습니다.

채민은 친구들의 능력에 감탄했습니다.
그는 그렇게 깨달았습니다.
성적이 모든 것을 대변하지 않는다는 것을 말입니다.
각자의 독특한 재능과 성격이 팀을 이루어
큰 문제를 해결할 수 있다는 것을 말이죠.

결국, 친구들의 협력으로 마을은 구해졌습니다.
채민은 이 경험을 통해 중요한 교훈을 얻었습니다.
진정한 성공은 지식뿐만 아니라
창의성, 용기, 친절함과 같은 다양한 덕목에서
비롯된다는 것을요.

달의 꿈을 찾아서

옛날 옛적에,
깊은 숲속에 '루나'라는 작은 여우가 살고 있었습니다.
루나는 다른 여우들과 달리 밤하늘을 바라보는 것을
가장 좋아했습니다.
그녀의 가장 큰 꿈은 달에 가보는 것이었죠.

루나는 매일 밤 달에 대해 꿈꾸며,
그 꿈을 이루기 위한 방법을 찾아다녔습니다.
하지만 숲속의 다른 동물들은 그녀의 꿈을
이해하지 못했습니다.
"여우가 달에 간다니, 어리석은 생각이야!
라고 그들은 말했죠.

그러나 루나는 포기하지 않았습니다.
그녀는 꿈을 이루기 위해 숲을 탐험하며
여러 도전에 맞서 싸웠습니다.
그녀는 높은 산을 오르고, 깊은 강을 건너며,
어두운 동굴을 탐험했습니다.

어느 날, 루나는 숲속에서 지혜로운 부엉이를 만났습니다.
부엉이는 루나에게 중요한 교훈을 전해주었습니다.
"진정한 여행은 목적지에 도달하는 것이 아니라,
그 과정에서 배우고 성장하는 것이란다."

루나는 부엉이의 말을 깊이 새겨들었습니다.
그녀는 자신의 여정을 통해 많은 것을 배웠고,
여우로서의 한계를 넘어서는 용기와 지혜를 얻었습니다.

결국, 루나는 달에 도달하지 못했지만,
그녀의 여정은 그녀를 숲속에서 가장 존경받는
여우로 만들었습니다.
그녀는 다른 동물들에게 꿈을 믿고
도전하는 용기의 중요성을 가르쳐주었습니다.

시간의 여백

서울의 한복판,
재정은 눈을 뜨자마자 벌써부터 숨이 차올랐다.
그의 삶은 항상 서두르는 것으로 가득 차 있었다.
아침 7시, 재정은 전철에 몸을 싣고
바쁘고 각박한 하루를 시작한다.
회사에서의 끊임없는 회의, 보고서 작성, 그리고 야근.
집으로 돌아오는 길에도 재정은 내일을 걱정했다.

어느 날, 재정은 친구 윤기와 함께 저녁을 먹었다.
윤기는 최근 회사를 그만두고 작은 마을로 이주해
프리랜서로 일하면서 여유로운 삶을 살기 시작했다고 했다.
윤기의 말은 재정의 마음에 큰 울림을 주었다.
그는 자신의 삶이 얼마나 치열하고 바쁘게만
흘러가고 있는지 깨달았다.

재정은 결심했다.
자신도 여유로운 삶을 찾아야겠다고.

그는 회사에 사직서를 제출하고,
작은 시골 마을로 이사를 결심했다.
처음에는 모든 것이 낯설고 불편했지만,
재정은 천천히 주변 환경과 조화를 이루기 시작했다.

재정은 작은 텃밭을 가꾸기 시작했다.
아침에는 새소리를 들으며 일어나 커피로 하루를 시작하고,
점심에는 직접 가꾼 채소로 식사를 했다.
오후에는 마을 사람들과 차를 마시며 이런저런 담소를
나누며 이웃들과 시간을 보낸다.
그는 이전의 삶에서는 느끼지 못했던
마음의 평화와 여유를 경험했다.

재정은 깨달았다.

진정한 행복은 바쁘게 살아가는 것이 아니라,
자신과 주변을 이해하고 소중히 여기며 살아가는 것이었다.
그는 이제 매일을 여유롭게 살아가며,
작은 것들에서 큰 기쁨을 찾았다.

재정은 이제 치열하고 바쁜 도시로 돌아가지 않았다.
그는 자신의 새로운 삶에 감사하고 만족하며,
매일을 여유롭고 풍요롭게 보냈다.
시간은 그에게 이제 급한 것이 아니라,
즐길 수 있는 여백이 되었다.

산속의 작은 깨달음

옛날 한국의 한 산골 마을에는 '천호'라는 사람이
살고 있었습니다.
천호는 산속에서 조용히 혼자 살면서,
한 마리의 하얀 개를 기르고 있었습니다.
그는 개를 사랑했지만,
바쁜 일상 때문에 산책은커녕 항상 마당에 묶어두고
밥만 주었습니다.

그러던 어느 날, 마을에 '현명한 스님'이 찾아왔습니다.
스님은 천호의 집을 지나가다 개가 늘 같은 자리에
묶여 있는 것을 보고 안타까워했습니다.

스님은 천호에게 다가가 이렇게 말했습니다.
"사랑하는 마음은 묶어두는 것이 아니라,
함께 나누는 것이랍니다.
당신의 개도 당신의 사랑과 관심을 필요로 하지요.
산책 또한 필요한 부분이라고 할 수 있지 않겠습니까.
진정한 동반자로서 그와 함께 시간을 보내보는 건 어때요?"

그렇게 스님은 유유히 사라지시고 난 후,
천호는 스님의 말에 깊은 생각에 잠겼습니다.

그는 개가 항상 같은 자리에 묶여 있으면서
느꼈을 외로움과 고립감에 얼마나 스트레스가 쌓였을지,
바깥은 어떤 냄새와 풍경들인지 몰랐을 답답함을 상상했다.
그날 이후로 천호는 개를 마당에서 묶어두기만 하는
개가 아닌 본인과 함께 산책하고 놀아주기 시작했습니다.
그렇게 시간을 함께 보낼 때마다 개는 점점 행복해 했고,
천호 역시 더 이상 혼자가 아니었다는 것을 느끼고 자신의
반려견과 조금 더 시간을 보내며 의미 있으면서도 행복한
나날들을 보내 개에 대한 사랑과 정성을 쏟으며 지낸다

녹색 들판의 여정

서울의 번잡함을 뒤로 한 채,
태일은 전원주택으로 이사한다.
새로운 시작을 의미하듯, 작은 개 한 마리를 입양한다.
이 개와의 삶은 도시에서는 경험할 수 없었던
평온함과 자연과의 교감을 약속한다.

처음에는 개를 단순한 동물로 여기던 태일은 점차
그 개와의 깊은 유대를 느낀다.
그러나 바쁜 일상 속에서 태일은 개에게
충분한 시간을 할애하지 못하고,
그 관계는 인간과 개 서로에게 조금씩
긴장을 띠기 시작한다.

개의 스트레스가 눈에 띄게 증가하고,
짖음도 많아지며 불안정한 행동을 보이기 시작한다.
이를 통해 태일은 반려동물에 대한 책임감과 그들이
필요로 하는 사랑과 정성에 대해 깊이 생각하게 된다.
뒤늦게나마 산책의 중요성을 깨달은 태일은
변화를 모색하기 시작한다.

태일은 일상에서 개와 함께하는 시간을 늘리기 위해
일을 더 줄이고 개에게 시간을 할애하려고 노력한다.
매일의 산책은 둘 사이의 교감을 깊게 하고,
서로에게 필요한 안정감을 제공한다.
이 시간은 둘에게 가장 소중한 시간으로 자리 잡는다.

전원주택에서의 생활은 단순한 환경 변화가 아니라 마음과
영혼의 변화를 가져왔다.
개와의 깊은 유대를 통해 주인공은 인생에서
중요한 가치를 재발견한다.
앞으로 더 많은 시간을 함께 보내며
서로에게 사랑과 정성을 쏟기로 약속한다.

창조된 파멸

바람이 창문을 흔들었다.
연구소의 은밀한 구석에서,
김박사는 실험 결과를 쳐다보며 한숨을 쉬었다.
그의 앞에는 그가 수년 간의 연구 끝에
창조한 생물체가 있었다.
생물체는 과학자의 기대와 달리,
기괴하고 예측 불가능한 형태로 자라고 있었다.

"이건 아니야..." 김박사는 중얼거렸다.
그는 더 많은 것을 원했다.
명성, 인정, 그리고 혁신.
하지만 그의 앞에 있는 것은 자신의 꿈과는 거리가 멀었다.

일주일 후, 실험실은 긴장으로 가득 찼다.
김박사가 창조한 생물체는 빠르게 성장했고,
이제는 그의 통제를 벗어나기 시작했다.

그것은 연구소를 벗어나 주변 지역에
영향을 미치기 시작했다.
식물과 동물에게 이상한 변화가 나타났다.

김박사는 공포에 질려 그 현장을 지켜보았다.
그의 욕심이 가져온 결과였다.
"내가... 내가 이런 걸 원한 건 아니었어..."

김박사는 자신의 책임을 깨달았다.
그는 자신의 실수를 바로잡기 위해 고군분투했다.
실험실로 돌아가 해답을 찾으려 했지만,
해결책은 쉽게 찾아지지 않았다.
그의 실험은 너무 멀리 가버린 것이었다.

지역 사회는 그의 실패로 인해 고통받았고,
김박사는 이를 무겁게 받아들였다.
그는 끊임없이 자신을 탓하며 밤을 지새웠다.

결국, 김박사는 자신의 실수에서 교훈을 얻었다.
그는 생물체를 통제하고,
그로 인한 파괴를 최소화하는 방법을 찾았다.
하지만 그것은 완전한 해결책이 아니었다.

그는 자신의 행동으로 인해 생긴 상처를
치유할 필요가 있었다.
김박사는 지역 사회에 자신의 실수를 인정하고,
그들과 함께 복구 작업에 나섰다.
그 과정에서 그는 많은 것을 배웠고,
사람들은 그를 용서하기 시작했다.

태양이 떠오르면서, 김박사는 새로운 날을 맞이했다.
그는 실패에서 배운 교훈을 가슴에 새기며
새로운 연구에 착수했다.
이번에는 조심스럽고 책임감 있게 진행하기로 결심했다.
심경의 변화가 매우 크게 일어났다.

김박사와 지역 사회는 함께 파괴된 환경을
복구하기 시작했다.
김박사는 자신의 연구를 공유하며,
다른 과학자들과 협력하여 생물체의 영향을
최소화하는 방법을 개발했다.
그의 노력은 점차 성과를 보이기 시작했고,
사람들은 다시 일상으로 돌아갈 수 있었다.

김박사는 이번 사건을 통해 많은 것을 배웠다.
과학의 힘과 책임에 대해,
그리고 인간의 욕심이 어떤 결과를 가져올 수 있는지에
대해 깊이 생각했다.
그는 이제 더 신중하고 윤리적인 방식으로
연구를 진행하기로 결심했다.

시간이 흘러, 김박사는 새로운 연구 프로젝트를 시작했다.
이번에는 자연과 조화를 이루고,
인류에게 긍정적인 영향을 미치는 연구에 초점을 맞췄다.
그의 과거의 실수는 그에게 중요한 교훈이 되었다.

김박사의 이야기는 많은 사람들에게 깊은 울림을 주었다.
그의 실패와 교훈은 인간의 욕심과 책임,
그리고 과학과 윤리의 균형에 대해
다시 생각하게 만들었다.
그리고 가장 중요한 것은,
어떤 실수도 교훈을 통해 회복될 수 있다는
희망의 메시지였다.

꿈을 향한 여정

시골의 한 조용한 동네에서,
김태준 씨는 아들 지훈이에게 매일 공부를 강조합니다.
태준 씨는 엄격하지만 지훈이의 미래를 위해
최선을 다하려는 아버지입니다.
지훈이는 공부보다는 밖에서 노는 것을 선호하고,
자연과 역사와 기계에 대한 호기심이 많습니다.

공부와 놀이 사이에서 갈등하는 지훈이는
때때로 아버지와 대립합니다.
태준 씨는 지훈이의 행동을 이해하기 어려워하지만,
점차 아들의 호기심과 창의성을 인정하기 시작합니다.
지훈이는 학교 숙제와 밖에서 같이 노는 친구들과
자연을 통해 자신의 창의적인 아이디어를 발휘하며
주목을 받기 시작합니다.

지훈이는 대회에 참가해 자신만의 발명품을 선보입니다.
처음에는 실패를 겪지만,
아버지의 격려와 지원으로 재도전하여 대상을 수상합니다.
이 경험은 지훈이에게 큰 자신감을 주고,
태준 씨도 아들의 능력에 감탄합니다.

중학교에 진학한 지훈이는 과학과 기술에 더욱 몰두합니다.
여러 과학 대회와 발명 대회에서 수상하며
그의 재능이 주목받습니다.
태준 씨는 이제 아들의 꿈을 전적으로 지지하며,
지훈이의 교육에 더 많은 자원을 투자합니다.

지훈이는 성인이 되어 혁신적인 기술 스타트업 회사를
설립해서 이런저런 경력과 능력을 펼쳐나갑니다.
그의 회사는 급속도로 성장하며,
지훈이는 젊은 나이에 큰 성공을 거둡니다.
태준 씨는 아들의 성공을 보며 눈물을 흘리며,
지훈이는 아버지의 사랑과 지원이 자신의 성공에
큰 도움이 되었음을 감사합니다.

꿈을 찾아서

김민준은 평범한 중학생이지만,
그의 부모님은 특별한 교육 철학을 가지고 있다.
민준의 아버지는 유명한 학자이고,
어머니는 열정적인 음악 교사이다.
민준의 방은 책으로 가득 차 있었고,
그의 일상은 학교와 학원,
집에서의 공부로 이루어져 있었습니다.

어느 날, 민준은 우연히 학교 뒤편에 있는 폐허가 된
놀이터를 발견하게 된다.
그곳에서 그는 놀기 좋아하는 친구들과 만나게 되고,
그들과의 만남을 통해 자신의 숨겨진 취미와 재능을
발견한다.
민준은 그림 그리기와 탐험하기를 좋아했고,
이를 통해 자신의 창의력과 상상력이 풍부하다는 것을
깨닫게 된다.

민준의 부모님은 민준이 학업에 소홀해지는 것을 우려하며,
그의 새로운 취미를 이해하지 못한다.
민준과 부모님 사이에는 점점 갈등이 생기기 시작한다.
민준은 자신의 꿈을 찾고 싶지만,
부모님의 기대도 충족시키고 싶은 갈등 속에 빠진다.

민준의 선생님과 친구들의 도움으로,
민준의 부모님은 민준이 학업과 취미 사이에서
균형을 찾을 수 있도록 지원하기로 결정합니다.
민준은 학업에서도 성공하고,
동시에 자신의 취미를 발전시킬 수 있는
방법을 찾아간다.

그는 공부와 놀이를 조화롭게 결합시키며,
자신의 꿈과 미래에 대해 긍정적으로 생각하기 시작합니다.
민준의 부모님도 그의 성장과 변화를 흐뭇하게 지켜보며,
자녀 교육에 대한 새로운 시각을 갖게 되었습니다.

산골의 반란

한국의 어느 한적한 산골에 위치한
낡은 오두막에서 혼자 사는 노인,
김선생은 세상과 격리된 채 오랜 시간을 보냈습니다.
그의 유일한 동반자는 강하고 충직한 개, 몽이가 있다.
몽은 어려서부터 김선생에 의해 줄에 묶여 자라며
그의 삶의 일부가 되었습니다.
이들 사이에는 깊은 유대감이 있었지만,
몽에게는 때때로 외로움과 자유에 대한 갈망이 비쳤다.

몽은 밤마다 산의 소리를 듣고 자유를 꿈꿨습니다.
자유롭게 산을 누비고 싶었지만,
몽은 늘 줄에 묶여있습니다.
김선생은 몽을 잃을까 두려워 그를 풀어주지 않았습니다.
그러나 몽의 눈빛은 점점 더 강렬해지고,
내면에서는 반항의 불길이 타오르기 시작했습니다.

스트레스와 화가 쌓인 몽이었다.
주인과의 산책 혹은 자유의 몸을 꿈꿔온다.

어느 날 밤, 몽은 자신의 힘을 모아 줄을 끊고
자유를 향해 산 속으로 달려갔습니다.
김선생은 몽의 탈출을 알아차리고 그를 찾아 나섰지만,
몽은 이미 산속 깊은 곳으로 사라져버렸다.
김선생은 몽을 찾으며 깨닫게 된다.
그의 보호가 사실은 몽이의 입장에서는 구속이었음을.

한편, 몽은 자유를 만끽하며 산을 누비고 다닌다.
다양한 동물들과 만나며 자연의 일부가 되어간다.
한편, 김선생은 몽 없이 오두막에서 혼자 지내며
자신의 삶을 되돌아보게 된다.
그는 몽의 자유를 통해 인생의 새로운 의미를
깨달아가게 되어가고 있다.

시간이 흘러, 김선생은 몽을 다시 만나게 되었다.
하지만 이번에는 줄이 아닌,
서로의 자유를 존중하는 관계로.
그들은 서로를 이해하게 되었고,
새로운 유대감을 형성하게 되었습니다.
몽은 자유롭게 산을 누비며 틈 날 때마다 자주
김선생을 찾아와서 지낸다.
그리고 김선생은 그런 몽을 보며,
진정한 자유와 사랑의 가치를 깨달았다.

여정, 꿈을 향해서

인공은 현재 어려운 삶의 상황에 처해 있다.
경제적 어려움, 가족 문제, 그리고 직장에서의
스트레스로 인해 매일의 일상들이 힘겹다.
이런 어려운 상황 속에서도 그는 꿈을 잃지 않으려 애쓴다.

어느 날, 주인공은 자신의 내면과 진지하게 대화를 나누며
자신이 진정 원하는 것이 무엇인지 탐색하기 시작한다.
어린 시절부터 간직해온 꿈을 발견하고,
그 꿈을 이루기 위해 어떤 노력이 필요한지 깨닫는다.

인공은 자신의 꿈을 향한 첫걸음을 떼기로 결심한다.
일상에서 작은 변화를 시작하며,
자신의 꿈을 향한 구체적인 계획을 세웁니다.
이 과정에서 주인공은 여러 도전과 실패를 겪지만
포기하지 않고 계속 수정해가며 진행한다.

인공의 여정은 쉽지 않다.
그는 계속되는 실패와 난관에 부딪히며 실망감을 느끼지만
이러한 시련들을 통해 더 강해지고,
자신의 꿈에 더욱 큰 확신을 갖게 된다.

마침내 인공은 자신의 꿈을 실현하는 데 성공한다.
이 과정에서 그는 자신이 생각했던 것보다
더 큰 성취와 만족을 느낀다.
그는 이제 자신의 꿈을 위해 살아가며,
다른 이들에게도 영감을 주고 그런 사람들의 꿈에
도움도 주는 존재가 된다.

인공이 자신의 여정을 돌아보며 깊은 성찰을 하며
더 열심히 살아가게 되는 원동력이 된다.
그는 자신의 경험을 통해 얻은 교훈과 지혜를
많은 사람들에게 전달하며,
꿈을 향해 나아가는 모든 이들의 희망과 용기를 전달한다.

야생의 그림자

깊은 한국의 산속에 위치한 작은 오두막에서,
은둔자인 현수가 혼자 살고 있다.
그의 유일한 동반자는 거대하고 우직한 개,
늘 어리가 있었다.
현수는 어린 시절부터 어리를 키우며,
그를 줄로 묶어 집 근처에 두었다.
둘 사이에는 독특한 친밀감이 있었지만,
두리의 눈에는 자주 야생의 그림자가 어렸습니다.

두리는 밤마다 숲의 소리에 귀를 기울이며
늘 자유를 갈망했습니다.
그는 산을 자유롭게 누비고 싶었지만,
짧은 줄은 그의 움직임을 매우 제한적이게 한다.
현수는 두리가 도망칠까 두려워 그를 풀어주지 않고
잠깐의 산책조차 해주지 않는다.
그렇게 시간이 흐를수록 두리의 눈빛은 점차 변해갔고,
두리의 내면에는 저항의 불씨가 피어오르기 시작한다.

어느 날 한 밤중에,
두리는 마침내 줄을 끊어내고 자유를 찾아
산으로 신나게 달려갔습니다.
현수는 충격과 함께 두리를 찾아 나섰지만,
두리는 당연히 이미 저 멀리 사라진 후였다.
현수는 두리를 찾아 헤매며 두리를 위해
자신이 해줬던 행동을 하나하나 되돌아보았다.

그는 두리의 감금이 사실 자신의 고립과 두려움의
반영이었음을 깨달았다.

한편,
두리는 산에서의 자유를 만끽하며
이런저런 새로운 세계들을 경험한다.
두리는 다른 동물들과의 만남을 통해 두리 자신도
자연의 일부가 되었다.

현수는 두리 없이 삶을 이어가며 자신의 내면을
탐색하며 돌이켜본다.
그렇게 그는 두리의 자유로움을 통해 삶의
깊은 의미를 발견한다.

시간이 지나 현수와 돌은 다시 만나게 되는데
이제 그들의 만남은 줄로 묶인 관계가 아닌,
서로 상호 존중과 이해를 바탕으로 한 관계로 만났다.
그들은 서로를 새롭게 이해하게 되고,
더욱 깊은 유대감을 형성하게 되었다.

두리는 자유롭게 산을 누비며 때때로 현수를 찾아왔고,
현수는 그런 두리를 보며 삶과 자유의 참된 의미를
깨달았다.

쉼표

서울의 아침은 항상 분주했다.
네온 사인이 꺼지고,
첫 지하철이 선로를 달리기 시작할 때,
도시는 이미 새로운 날의 활기로 가득 찼다.
강남의 번화가는 일찍부터 사람들로 북적이기 시작했고,
한강의 산책로는 조깅을 즐기는 이들로 활기를 띠었다.

그러나 이 모든 소란스러움과는 별개로,
서울의 한적한 골목 어귀에 위치한 작은 카페
'여유'의 주인인 현우는 다른 시작을 맞이했다.
현우는 바쁜 도시 생활 속에서도 늘 여유롭게
하루를 시작했다.
그의 하루는 커피 한 잔의 여유로 시작되었고,
그의 카페는 그가 세상과 소통하는 방식이었다.

"좋은 아침이야, 현우야. 오늘도 커피 맛있게 해줘."
단골손님인 지혜가 문을 열고 들어오며 인사했다.

현우는 미소를 지으며 대답했다.
"물론이죠, 지혜 씨. 오늘은 어떤 커피를 드릴까요?"

지혜는 잠시 고민하는 척하며 말했다.
"오늘은 말이죠.. 그냥 현우 씨가 추천해주는 걸로 할게요."

"그럼 오늘은 새로 들여온 에티오피아 원두로 만든
아메리카노 어때요?
향긋한 꽃향기가 나는 커피입니다."

지혜는 고개를 끄덕이며 자리에 앉았다.
카페 안은 조용하고 아늑했다.
벽에 걸린 그림들, 은은하게 흐르는 재즈 음악,
그리고 책장에 꽂힌 다양한 책들이
이곳이 단순한 카페가 아닌 휴식의 공간임을 암시했다.

현우는 카페 안을 둘러보며 생각에 잠겼다.
그는 이 도시에서 바쁘게 살아가는 모든 사람들에게
잠시나마 여유와 평온을 제공하고 싶었다.
그의 카페는 그런 그의 바람이 담긴 곳이었다.

카페 '여유'의 문이 살짝 열리고,
새로운 손님이 들어왔다.
그는 양복을 차려입은 젊은 비즈니스맨처럼 보였다.
빠르게 움직이는 발걸음과 긴장된 표정에서
그의 바쁜 일상이 느껴졌다.

"뜨거운 아메리카노 한 잔 빨리 부탁해요."
그가 서둘러 말했다.

현우는 침착하게 커피를 준비하기 시작했다.
"천천히 마셔도 괜찮아요. 여기서 잠시만 쉬어가세요."

비즈니스맨은 잠시 멈춰 서서 현우와 카페를 둘러보았다.
"여기는 처음이네요. 분위기가 꽤 좋네요."

"감사합니다. 여기서 잠시나마 편안함을 느끼시길 바랍니다."
현우가 미소 지으며 커피를 건네주었다.

비즈니스맨은 커피를 한 모금 마시고, 잠시 눈을 감았다.
그의 얼굴에 서서히 긴장이 풀리는 듯한 모습이 역력했다.
"정말 좋네요, 사실 전 이런 여유가 필요했어요."

카페 안은 서서히 여러 손님들로 채워졌다.
학생, 직장인, 예술가 등 다양한 사람들이
자신만의 시간을 즐기고 있었다.
현우는 그 모습을 바라보며 만족스러운 미소를 지었다.

그때, 문이 또다시 열리고, 한 중년의 여성이 들어왔다.
그녀의 표정은 고단함이 매우 역력했다.
현우는 그녀에게 따뜻한 미소를 보내며 말했다.
"어서 오세요. 여기서 잠시 쉬어가심이 어떠실까요?"

여성은 고마운 듯 미소를 지으며 자리에 앉았다.
그녀는 창가 자리를 택했고,
현우는 그녀에게 특별히 직접 만든 허브티를 권했다.

이렇게 서울 한복판의 작은 카페에서,
현우는 매일 다양한 사람들을 만나면서
그들에게 잠시라도 작은 여유를 선물했다.
각자의 삶에 지친 이들이 잠시나마 쉼을 찾는 곳,
그것이 바로 '여유'였다.

비즈니스맨은 커피를 마시며 잠시 일에서 벗어난 듯한
표정을 지었다.
그는 현우에게 말했다.
"이런 곳이 서울 한복판에 있다니, 굉장히 놀랍네요.
항상 바쁘게만 살았는데,
여기 오니 이런저런 생각이 많아지네요."

현우는 그에게 조용히 공감하며 대답했다.
"가끔은 멈춰 서서 주변을 바라보는 것도 중요하니까요.
여기서라도 오시는 손님 분들이 잠시나마
평온을 느끼셨으면 좋겠어요."

중년 여성은 현우가 준 허브티를 마시며 한숨을 내쉬었다.
"이런 곳에서 시간을 보내다 보면,
모든 걱정이 사라지는 것 같아요."

카페 안에는 각기 다른 삶을 사는 사람들의
소소한 대화와 웃음소리가 가득 찼다.
현우는 이 모든 것이 마치 한 폭의 그림 같다고 생각한다.

오후가 되자, 한 젊은 예술가가 카페에 들어왔다.
그는 벽에 걸린 그림들에 관심을 보이며 현우에게 물었다.
"이 그림들은 모두 이 카페를 찾는 사람들이 그린 건가요?"

"네, 맞아요.
여기 오는 많은 분들이 각자의 이야기와 감정을 캔버스에
담아냈죠."
현우가 대답했다.

예술가는 감탄하며 말했다.
"오호, 그렇군요. 제 작품도 여기에 걸 수 있을까요?
이곳의 분위기가 정말 마음에 들어요."

"물론이죠, 손님. 오히려 제가 부탁드리고 싶었는걸요.
여기는 누구나 자신의 이야기를 자유롭게
표현할 수 있는 그런 공간이니까요."
현우가 환하게 웃으며 대답했다.

이렇게 '여유'는 서로 다른 삶들을 살아가는
수많은 사람들이 모여 서로를 이해하고,
영감을 주고받는 특별한 장소가 되었다.
현우의 작은 카페는 이 도시에서 작은 피난처 같은
그런 존재가 되었다.

시간이 흘러, 카페 '여유'는 더 많은 사람들에게
사랑받는 안식처 같은 장소가 되었다.
현우는 이곳이 단순한 카페가 아닌,
사람들의 삶에 작은 여유와 변화를 가져다주는
공간임을 깊이 느꼈다.

비즈니스맨은 이제 종종 카페에 들러 잠시 일을 잊고
편하게 본인만의 쉬는 시간을 가졌다.
그는 현우에게 고마움을 표현했다.
"여기 덕분에 삶을 좀 더 여유롭게 즐기며 되었어요.
감사합니다."

중년 여성은 이제 카페의 단골이 되어,
카페에서 책을 읽거나 그림을 그리며
여유 있는 평온한 시간을 보냈다.
그녀는 현우에게 말했다.
"이곳에서 많은 생각을 하게 되었어요.
덕분에 제 삶을 다시 돌아보는 계기가 되었습니다."

젊은 예술가는 카페 벽에 자신의 작품을 걸고,
다른 사람들과 작품에 대해 이야기하며
항상 새로운 영감을 얻었다.
그는 현우에게 이렇게 말했다.
"이곳은 저에게 항상 매우 큰 영감을 주는 공간이에요.
다른 사람들과 소통하며 그림을 그리고
사장님 덕분에 제 예술을 더 발전시킬 수 있었죠."

현우는 이 모든 변화를 바라보며,
자신이 한 선택에 대해 자부심을 느꼈다.
그는 카페 '여유'를 통해 사람들에게 작은 변화를
선물하고 있었다.
그는 문득 생각한다.

'여유라는 건 결국 우리 모두 서로가 서로에게
줄 수 있는 가장 소중한 선물이 아닐까?'

현우가 카페 문을 닫으며 하루를 끝낸다.
그는 미소를 지으며 누군가에게 말하듯 허공에 속삭인다.
"내일도 여러분을 위한 여유가 여기 있을 거예요."

그렇게 수많은 사람들이 현우를 통해 삶 속에서
잠시나마 여유를 찾는 것의 중요성을 깨달으며 살아간다.

숨 가쁜 삶의 한가운데에서

한기가 몰려오는 저녁 바람이,
은빛으로 물든 가로등 빛 아래서 소란을 피웠다.
자정을 알리는 시계탑의 종소리가 멀리서,
그러나 분명하게 들려왔다.
민준은 무거운 발걸음으로 걸었다.
각 발걸음마다 마음속 깊은 곳에서 울리는 메아리가
그의 귓전을 때렸다.
그 소리는 불안과 절망의 혼합음이었다.
민준의 삶은 어느새 급격한 내리막길을 걷고 있었고,
그는 스스로를 멈출 수 없었다.

잔혹하게 늘어진 그의 그림자가 벽에 기댔다.
민준은 숨을 크게 들이쉬고는 무너져 내릴 듯한
벽에 등을 기대었다.
이내 그는 눈을 감았다.
그의 눈꺼풀 너머로 현실의 날카로운 모서리가 파고들었다.
사랑, 실망, 배신, 고통.
각각의 단어들이 그의 정신을 할퀴고 지나갔다.

한때는 약속의 땅처럼 보였던 세상이
이제는 적막한 황무지로 변해 있었다.
민준은 자신의 내면을 여행하는 탐험가가 되었다.
그러나 발견한 것은 오직 파편과 잿더미뿐이었다.
그는 잠시 머물던 자리에서 벗어나 다시 걷기 시작했다.
어디로 가는지, 무엇을 찾는지도 모른 채로.

그의 마음은 벼랑 끝에 선 듯했다.
한 발짝을 더 내디딜 경우,
깊은 어둠 속으로 떨어질 것만 같았다.
그럼에도 불구하고, 민준은 앞으로 나아갔다.
어둠 속에서도, 희미하게나마 빛을 찾기 위해.

민준은 잠시 멈춰 섰다.
그의 앞에는 서울의 번화가가 불빛으로
채워진 모습이 아닌,
어둠 속에서도 불길하게 빛나는 불야성이 펼쳐져 있었다.
그 불빛들 사이로 사람들의 얼굴은 보이지 않았다.
오직 빠르게 움직이는 그림자들만이
그들의 존재를 드러내고 있었다.

그는 이 모든 것이 자신과는 무관하다는 생각을 했다.
마치 어린 시절 즐겨 보던 눈속임 판에서 뛰쳐나온 듯한
착각을 느꼈다. 그의 삶 역시 그와 다르지 않았다.
모든 것이 한때는 선명했으나 이제는 흐릿한 기억으로
변해가고 있었다.

그는 거리를 걷다가 무심코 한 커피숍에 들어섰다.
따스한 빛이 그를 감싸며 잠시나마
세상의 차가움으로부터 보호해주는 듯했다.
민준은 구석 자리에 앉아 창밖을 바라보았다.
창문에 비친 자신의 모습은 왠지 낯설었다.
그는 잔에 담긴 커피를 천천히 홀짝이며,
과거를 회상하기 시작했다.

'대체 어디서부터 잘못된 걸까?'

그는 회사에서의 마지막 날을 떠올렸다.
그때의 분노와 수치심,
그리고 무력감이 다시금 그를 엄습했다.
프로젝트의 실패, 그로 인한 해고 통보,
그리고 그 모든 것이 가져온 연쇄 반응.
민준은 커피숍의 따스함 속에서도 자신의 심장이
얼음처럼 차가워지는 것을 느꼈다.

그는 잔을 내려놓고서 자리에서 일어서며 그가 찾아야 할
것은 여기에 없었기에 민준은 다시 길을 나섰다.
걷는 것만이 그에게 남은 유일한 행동이었다.
목적지도, 방향도 없이 그저 걷는 것.
그의 머릿속은 혼란스러운 생각들로 가득 찼지만,
그는 걷는 동안만큼은 그것들로부터 잠시라도
도망칠 수 있었다.
그러나 그의 발걸음은 점차 느려졌고,
마침내 그는 도시의 끝자락,
한강의 거대한 다리 앞에 멈춰 섰다.

밤하늘에 반사된 강물은 유리처럼 차가웠다.
민준은 다리 난간에 손을 올렸다.
시원한 바람이 그의 뺨을 스치며 지나갔다.
그는 눈을 감고 깊은 숨을 들이켰다.
그 순간, 그는 마치 자신의 모든 고통과 실망이
바람에 실려 사라지는 듯한 느낌을 받았다.

'이대로 모든 것을 끝낼까?'

그 순간, 머릿속이 하얗게 번졌다.
그러나 그것은 공허한 해방감이 아니라,
새로운 인식의 싹이 터지는 순간이었다.

민준은 눈을 떴다.
강물이 반짝이는 것은 수많은 별빛이 아니라,
다리 아래로 흐르는 수많은 삶의 흔적들이었다.
그는 이제야 깨달았다.
자신만이 고립된 존재가 아니라,
이 강물 아래로 수많은 이야기가 흐르고 있었다.
그리고 그의 이야기도 그 중 하나였다.

갑자기, 다리 반대편에서 불빛 하나가 시선을 붙잡았다.
누군가가 다리 위에 서서,
아마도 같은 생각을 하고 있을 그에게 손을 흔들고 있었다.
민준은 순간적으로 그 사람에게 응답하고 싶었다.
그는 난간에서 손을 떼고,
천천히 그 사람이 있는 방향으로 걸어갔다.
각 걸음마다 그의 심장이 조금씩 뛰기 시작했다.
이제 그는 홀로가 아니었다.
아직도 삶은 그에게 말을 걸고 있었다.

민준은 다가가면서 그 사람의 모습이 점점 분명해지는 것을
보았는데 그 사람도 혼란스러워 보였고,
눈빛에는 물음표가 가득 차 있었다.
그들은 한참을 서로 바라보았다.

그리고 이내 그 불확실한 눈빛 속에서
서로에게 필요한 것을 찾았다.
이야기를 나누고 싶은 마음,
서로의 부담을 나누고 싶은 마음이었다.

민준은 첫마디를 건넸다.

"바람이 차네요."

그리고 그 사람은 미소를 지으며 답했다.

"그래도 별은 밝게 빛나고 있죠."

그들은 나란히 다리 위에 서서,
각자의 마음속에 있던 중압감을 잠시 내려놓았다.
그리고 밤하늘을 가득 메운 별들을 바라보며,
살아있음의 감사함을,
서로가 아직 삶의 한가운데 서 있음을 공유했다.

이제 민준의 여정은 새로운 국면으로 접어들었다.

그는 더 이상 혼자가 아니었다.

그리고 그것이 바로 그에게 필요한 모든 것이었고
삶은 그에게 두 번째 기회를 주었고,
이번에는 그가 그 기회를 붙잡을 준비가 되어 있었다.

민준의 걸음은 더 이상 무거워 보이지 않았다.
다리를 건너면서 그는 자신의 마음속 깊은 곳에서
우러나오는 희망의 불씨를 느낄 수 있었다.
그는 자신의 과거를, 실패를,
그리고 모든 아픔을 강물에 흘려보내기로 결심했다.
삶이 힘들어 벼랑 끝에 섰을 때, 그는 알게 되었다.
끝이 아닌 새로운 시작이 그를 기다리고 있다는 것을.

한강의 다리를 끝까지 건넌 민준은 이제
날이 밝기를 기다리며 새로운 계획을 세우기 시작했다.
그는 구직 사이트를 뒤져보기로 했고,
그동안 소홀히 했던 친구들과의 연락도
다시 취하기로 마음먹었다.
무엇보다 그는 자신을 돌아보기로 했다.
자신의 취미를 다시 찾고,
새로운 스킬을 배우며,
자기 계발에 시간을 투자하기로 했다.

민준은 자신이 좋아하는 책방에 들러 몇 권의 책을 골랐다.
그 중에는 '위기 극복'과 '자기 도전'에 관한 이야기의
책들도 있었다.
그는 카페에 앉아 책을 펼쳤다.
읽는 동안, 그는 점점 자신감을 되찾아가고 있었다.
또한, 작은 목표들을 세우기 시작했다.
첫 번째 목표는 매일 아침 일찍 일어나는 것이었다.
두 번째 목표는 매일 걷기 운동을 하는 것.
세 번째는 매일 긍정적인 자기 대화를 하는 것이었다.

그렇게 시간이 흘러 민준은 새로운 직업을 찾았고,
그 과정에서 새로운 사람들을 만났다.
그는 그들과의 관계를 통해 자신의 가치를
다시금 인식하게 되고 깨닫는다.
그는 더 이상 과거의 실패에 얽매이지 않았다.
대신, 그는 현재를 살고 미래를 계획했다.

책에서 읽은 대로, 그는 아무리 작은 성공이더라도
축하하며 자신을 격려하고 삶이 다시 힘들어지더라도,
그는 이제 어떻게 대처해야 할지 알고 있었다.
민준은 이제 자신의 삶을 주도하는 사람이 되었다.
그는 더 이상 벼랑 끝에 서 있지 않았다.
그는 삶의 중심에서 굳건히 서 있었다.

민준이 한강의 다리를 건너며 새로운 아침을 맞이한다.
이제 그의 눈앞에 펼쳐진 것은 끝이 아니라,
무한한 가능성의 시작이다.
그는 한층 더 강해진 모습으로 새로운 하루를 맞이했다.
이렇게 그의 이야기는 끝이 아니라,
새로운 시작을 알리는 서막이다.

미지의 길 위에서

준우는 도시의 분주한 일상 속에서 자신만의 길을
찾기 위해 방황하는 젊은이다.
친구들은 각자의 길을 걷고 있으나,
준우는 아직 어떤 길을 선택해야 할지 몰라 망설이고 있다.
그의 가족은 준우가 삶의 목적을 의미 있게 찾기를 바라며
여유로우면서도 조심스럽게 지켜본다.

어느 날, 준우는 지역 공동체 센터에서 열리는
소규모 작업장에 우연히 발을 들이게 되는데
그곳에서 그는 다양한 배경을 가진 사람들과 만나며
새로운 관점을 배우면서 이 경험들은 준우에게
자신의 열정을 탐색할 기회를 제공해,
그는 조금씩 자신만의 길을 찾아가기 시작한다.

준우는 작업장에서 만난 사람들과의 교류를 통해
새로운 시각을 갖게 된다.
그는 자신의 삶을 다른 방식으로 바라보기 시작하며,
일상에서 소소한 기쁨을 찾아간다.

그의 새로운 친구 중 한 명인 민지는 준우에게
자신의 삶을 바꾼 취미인 목공예에 대해 소개하여
같이하지만 준우는 처음에는 서툴지만,
민지의 격려와 지원으로 점차 자신감을 얻어간다.

준우는 그렇게 작은 목공 프로젝트를 시작하며,
자신의 창의력과 손재주에 조금 놀라움을 느낀다.
그는 이 작은 성공들을 통해 자신감을 얻고,
삶의 방향을 찾아가는 데 매우 큰 도움을 받는다.
작업장에서 보낸 시간은 준우에게 삶의 목표를 세우고,
자신만의 길을 개척하는 데 필요한 동기 부여를 제공한다.

그런 준우의 모습에 가족과 친구들은 그의 변화에 놀라고,
그의 새로운 취미와 열정을 함께 지지한다.
준우는 이제 자신이 어떤 사람이 되고 싶은지,
그리고 어떻게 살아가고 싶은지에 대해 의미 있고
가치 있는 명확한 생각을 갖게 되어간다.
그는 더 이상 방황하는 것이 아니라,
자신만의 길을 따라 자신감 있게 나아가기 시작한다.

전시회에는 준우의 가족, 친구, 그리고 작업장에서 만난
새로운 친구들이 모두 다 함께한다.
준우는 이 순간을 통해 자신이 얼마나 많은 변화를
이루었는지 매우 크게 깨닫게 된다.
그는 이제 자신의 삶을 주도적으로 살아가며,
자신이 진정으로 원하는 것을 추구할 준비가 되었다.

인성의 빛 성공 너머의 가치

지훈은 오늘도 회사에 일찍 도착했다.
그는 항상 빨리 출근해서 늦게까지 야근하여
마지막으로 퇴근하는 것을 자랑으로 여겼다.
하지만 오늘은 뭔가 달랐다.
김 대표가 최근에 한 결정으로 인해 회사 분위기가
평소보다 더 심상치 않았다.
대표는 이익을 위해 비윤리적인 결정을 내렸고,
많은 직원들이 불만을 표출하고 있었다.

지훈은 자신의 책상에 앉아 깊은 생각에 잠겼다.
그는 항상 회사의 성공과 자신의 경력을 위해 노력해왔다.
하지만 김 대표의 최근 행동들은 그에게
생각보다 매우 스트레스와 큰 의문을 던져주었다.
'성공이 정말 모든 것을 의미하는 걸까?'
지훈은 고민했다.

그때, 민지가 지훈의 책상 옆으로 다가왔다.
"지훈 씨, 오늘 점심 같이 어때요?
오늘은 좀 이야기를 나누고 싶어서요."
민지의 목소리에는 따뜻함이 묻어나왔다.
지훈은 웃으며 민지의 제안을 수락했다.
민지는 회사에서 인정받는 동료였고,
항상 긍정적인 에너지를 가지고 있었다.

점심 후, 두 사람은 회사 근처의 조용한 카페에 앉았다.
민지는 지훈에게 최근 회사의 상황에 대해
어떻게 생각하는지 물었다.
지훈은 한숨을 쉬며 솔직하게 자신의 고민을 털어놓았다.
민지는 경청하며 가끔 조언을 건네주었다.

"지훈 씨, 저는 성공도 중요하지만,
어떻게 성공하는지가 더 중요하다고 생각해요.
돈과 명예보다 인성이 중요한 거죠."
민지의 말은 지훈의 가슴에 깊이 와닿았다.
그녀의 말은 간단했지만, 지훈에게는 큰 울림이 있었다.

"인성이요? 그게 정말로 중요할까요?
제가 보기엔 성공한 사람들 대부분은 인성보다는 능력이나
기회를 더 중요시하는 것 같아요."

민지는 잠시 생각에 잠긴 뒤, 조용히 말했다.
"지훈 씨 말처럼 능력과 기회도 중요하죠.
하지만 제 생각에는 그것들이 무엇을 의미하느냐는
우리의 인성에 달려있다 라고 봐요.
선한 목적으로 그 능력을 사용하면,
그거야말로 진정한 성공이라고 생각해요."

이 말을 듣고 지훈은 깊은 생각에 잠겼다.
그는 그동안 성공을 위해 무엇이든 할 준비가 되어 있었다.
하지만 민지의 말을 듣고 나니,
그의 성공 방식에 대해 다시 생각해보게 되었다.

점심을 마친 후, 지훈은 회사로 돌아와 김 대표의
사무실 앞에서 잠시 멍하니 멈춰 섰다.
그는 대표의 최근 결정들이 옳지 않다고 생각했지만,
이를 어떻게 대면해야 할지 고민이었다.

그 순간, 김 대표가 사무실에서 나와 지훈을 보았다.
"지훈 씨, 여기서 뭐해요? 잠시 시간 되죠?
같이 얘기를 나누고 싶은 부분이 있습니다.
중요한 사안이니 일단 들어오시죠."

지훈은 대표의 사무실로 들어가 앉았다.
김 대표는 최근의 결정들에 대해 설명하기 시작했다.
"이번에 내린 제 결정들은 회사에 필요한 거였습니다.
우리는 처음부터 지금까지도 잘해왔지만 이제부터는
이것보다 더욱더 치열한 경쟁에서 살아남기 위해서
이런 선택을 해야만 합니다."

지훈은 숨을 깊게 들이쉬고, 자신의 생각을 정리했다.
"대표님, 저도 당연히 우리 회사가 성공하는 걸 원합니다.
하지만, 그 성공이 올바른 방법으로 이루어져야 한다고
생각하고 그 과정에서 우리의 결정이 장기적으로
회사에 해가 되지 않을까 걱정됩니다."

김 대표는 잠시 지훈을 응시하다가, 미소를 지으며 말했다.
"네, 전 지훈 씨의 의견을 존중합니다.
나도 이 문제에 대해 다시 생각해보겠습니다."

그날 저녁, 지훈은 집으로 돌아가면서
민지의 '인성이 중요하다'는 말을 다시 생각했다.
지금까지 그는 항상 돈과 명예를 추구했지만,
이제는 인성을 중요시하는 삶을 살아가기로 결심한다.
진정한 성공은 외적인 성취뿐만 아니라 내적인 가치에서도
비롯된다는 것을 그는 알았다.

산울림,
남자와 그의 충직한 동반자

오랜 세월을 혼자 산골짜기에 살던 한 남자가 있었다.
그는 사람들과의 관계에서 멀어진 채,
한 마리 개와 함께 조용한 삶을 살아가고 있다.
남자는 개에게 최소한의 관심과 사랑만을 주었지만,
개는 그것만으로도 좋다 생각하고 만족하며
남자에게 꽤 깊은 충성심을 가지고 있었습니다.

매일 같은 일상 속에서,
남자는 개를 단순한 동반자로만 여겼고,
개에게 필요한 정서적 지원이나 사랑은커녕
산책의 기회조차 주지 않았습니다.
개는 항상 남자의 집 근처에 묶여 있었고,
남자는 개와 함께 시간을 보내기보다는
자신의 일에만 몰두하느라 바빴습니다.

그러나 시간이 지나면서,
남자는 점점 더 외로움과 소외감을 느끼기 시작했다.
그는 자신의 삶에 무언가 중요한 것이 부족하다는 것을
깨닫는데 그것이 바로 사랑과 우정임을 알게 되어간다.

그러던 어느 날, 갑자기 개가 실종되었다.
남자는 처음으로 개의 중요성을 깊이 느끼며,
자신의 개를 찾으러 나가며 개를 찾는 과정에서,
남자는 자신의 행동을 되돌아보게 되었고,
그동안 자신이 개에게 못해주었던 것들을 포함해
얼마나 개에게 무관심했는지 깨달았다.

마침내 남자는 개를 찾아냈고,
그 순간부터 그들의 관계는 이전과는 확연히 달라졌다.
남자는 개에게 진심을 다해 사랑과 관심을 주기 시작했고,
개 역시 그런 남자에게 더욱 깊은 애정을 보였다.

자유의 날개 위에서

민준은 초등학교 4학년이었다.
보통의 아이들처럼 학교에서의 수업보다는 하교 후
집에서 놀거나 그의 친구들과 시간을 보내며 놀거나
자신만의 세계로 빠져드는 시간이 더 소중했다.
그의 방은 장난감이랑 그림 도구로 가득 차 있었다.
창문 너머로 보이는 길들은 그에게 무한한 영감을 주었다.

재호는 민준의 아버지이며,
안정적인 직업을 가진 중년 남성이었다.
그는 전통적인 교육 방식을 선호하고 고집했다.
그러나 그의 아들 민준이 친구들과 놀거나
그림 그리기에 몰두하는 모습을 보며,
마음 한구석에서는 아들 민준이 행복해 보이는 것이
기쁘고 고마웠다.

민준은 날이 갈수록 점점 더 자신의 취미와 관심사에
매우 집중하기 시작하며 학교 과제를 완료하는 것보다는
자연을 탐험하거나 자신만의 놀이나 음악을 만드는 데
더 많은 시간을 할애했다.

재호는 그런 민준이를 보며 처음에는 걱정했다.
하지만 민준의 행복한 모습을 보며,
그의 생각이 서서히 바뀌기 시작했다.
조금씩 민준에게 더 많은 자유를 주기로 결심했다.

고등학교에 들어간 민준은 자신이 진정으로 원하는 것이
무엇인지 깨닫고 자신의 취미와 관심사를 살리면서도
학업에 집중할 수 있는 방법을 스스로 찾기 시작했다.
그는 과학과 예술을 결합한 프로젝트에 몰두했고,
그렇게 그의 창의력은 꽃을 피웠다.

재호는 그런 아들의 성장을 흐뭇하게 지켜보며,
민준의 결정을 존중하고 지지했다.
그는 늘 민준이 자신만의 길을 찾을 수 있도록 도와주었다.

민준은 성인이 되어 자신의 꿈을 이루었다.
그는 예술과 과학을 접목시킨 독특하면서도 창의적인
작업으로 인정받는 예술가가 되었다.
재호는 이제 노년이 되어 아들의 성공을
매우 자랑스럽게 바라보았다.

잃어버린 시간 속에서

석훈은 서울의 번화한 금융가에서 일하는 젊은 투자가다.
그의 삶은 주식 시장의 숫자와 끊임없는 회의로
가득 차 있었고 가족과의 연결은 점점 희미해져 갔다.
추억이 담긴 고향집은 바쁘게 사는 그에게
번잡한 도시 생활 속에서 멀고도 먼 곳이 되어 버렸다.

그러던 어느 날, 석훈은 갑작스럽게 큰형님께서
돌아가셨다는 소식을 듣게 된다.
충격과 함께, 그는 서둘러 오랜만에 고향으로 향한다.
고향의 고즈넉한 풍경은 석훈에게 낯설면서도 친숙하다.

장례식장에서 석훈은 오랜만에 만난 친척들과
어색한 대화를 나누고 형님과 보낸 시간들이 떠오르면서,
그는 자신이 얼마나 많은 것을 잊고 살았는지 깨닫게 된다.
큰형님께서는 언제나 가족을 중시하셨고,
늘 차갑게 느껴졌지만 석훈에게도 최선을 다해
따뜻함을 아끼지 않았었다는 것을 알았습니다.

석훈은 방에서 낡은 앨범을 발견하여 페이지를 넘기며,
그는 어린 시절의 행복했던 순간들과 가족의 사랑을
다시금 느끼게 된다.
큰형님의 미소와 가족들과의 웃음이 담긴 사진들이
석훈의 마음을 뭉클하게 만든다.

이제야 석훈은 깨닫게 된다.
성공과 명성이 주는 만족감은 잠시일 뿐이지만
진정한 행복은 가족과의 시간에서 온다는 것을.
그는 앞으로 가족과 친척들과 더 많은 시간을 보내고,
소홀했던 관계를 회복하기로 굳게 결심한다.

장례식이 끝나고,
석훈은 큰형님의 무덤 앞에서 굳게 다짐한다.

"형님, 감사합니다.
가족과 친척들의 소중함을 잊지 않겠습니다."

루키의 우정

언제나 활기찬 숲 속에는 다양한 동물들이 살고 있었다.
그중에서도 가장 외로웠던 건 작은 다람쥐 루키.
루키는 다른 동물들이 자신을 무시하는 것 같아 마음이
늘 아팠고 그는 항상 숲의 한구석에서 혼자 놀곤 했다.

그러던 어느 날, 숲에 길을 잃은 아이가 나타났는데
아이는 추위와 배고픔에 떨고 있었습니다.
루키는 처음엔 좀 많이 두려웠지만,
용기를 내어 아이에게 다가갔고,
그는 아이를 자신의 집으로 데려가 따뜻한 견과류를
나눠주고 그 모습에 아이는 루키의 친절에 감사했다.

루키와 아이는 서로 마음으로 이야기를 나누며 친구가
되었고 아이는 루키에게 사람들의 세상 이야기를
들려주고 루키는 숲의 비밀스러운 장소들을 보여주었다.
서로에게 많은 것을 가르쳐 준 둘은
어느새 불가분의 친구가 되었다.

그 뒤로 숲의 다른 동물들도 루키에게 관심을 갖게 되었다.
그들은 루키랑 놀고 이야기를 나누며 루키가 얼마나
따뜻하고 친절한 친구인지 새삼 깨닫게 되었다.
루키는 이제 더 이상 외롭지 않게 되었습니다.
숲의 모든 동물들은 이제 서로를 돌보며,
다 함께 행복하게 살아가게 되었다.

공기업의 변화

한국의 중심부에 위치한 대형 공기업, 전력공사.
외부에서 보기에는 안정적이고 모범적인 회사로 보였다.
그러나 그 내부를 들여다보면,
일부 직원들의 비효율적인 업무 방식과 끊임없는
험담으로 인해 직장 분위기는 늘 어수선했다.

민수는 이 회사의 늘 열정적이고 성실한 직원이었다.
그러나 그의 동료 중 한두 명은 일을 대충하고,
늘 남을 비방하는데 시간을 소비했다.
이들은 마치 공기업이라는 큰 강에 물을 흐리는
돌멩이와도 같았다.

민수는 업무에 대한 자신의 열정을 동료들에게도
전파하고자 했지만 친한 동료 몇 사람 외에
대부분의 동료들은 그의 노력을 무시했다.
그들은 자신들의 안정된 위치에 만족하며 변화를 거부했다.
민수는 이러한 상황에 날이 갈수록 점점
실망하고 좌절감을 느꼈다.

좌절감을 느낀 민수는 그럼에도 불구하고 포기하지 않고
그의 동료들과 대화를 시도하면서 어떻게든 그들의 관점을
이해하려 노력하며 그 과정에서 그는 동료들이
왜 이런 태도를 보이는지 조금씩 이해하기 시작했다.

민수는 동료들과의 꾸준한 대화를 통해 그들의 고민과
애로사항을 듣게 되면서 이를 통해 그는 동료들과의
관계를 개선해 나가며 그들의 태도를 긍정적인 면으로
어떻게든 변화를 이끌어내기 시작했다.

그런 민수의 노력은 회사 내에서 조금씩이나마
긍정적인 반응을 보이기 시작하려 한다.
동료들은 민수의 진심을 알아차리고,
점점 더 책임감 있는 태도를 보이기 시작했다.
회사 분위기는 조금이지만 서서히 변화하기 시작했다.

그의 노력에 회사는 새로운 문화를 형성해나간다.
직원들은 이제 서로를 존중하고,
업무에 더 적극적으로 임했다.
전력공사는 이제 진정한 의미에서 모범적인 공기업으로
거듭났다.

시간의 숲에서

지수는 서울의 번화가에서 바쁜 직장 생활을 하는
평범한 30대 초반의 여성이었다.
매일 아침 8시에 집을 나서 밤늦게까지 일하는 것이
그녀에게는 지극히 일상이었다.
커피 한 잔을 마시는 시간조차 그녀에게는
조금도 여유롭지 못했다.
지수는 항상 시간에 쫓기며 살아가고 있었다.

어느 날, 지수는 너무 지친 마음에 회사 근처 공원에서
점심을 먹기로 결심하고 벤치에 앉아 천천히 먹는다.
공원의 한가운데에는 아름다운 숲이 있었다.
숲속으로 조금 걸어 들어가자,
지수는 평화롭게 흐르는 시냇가를 발견했다.
그곳에서 그녀는 한 노인을 만났고 그 노인분은
지수에게 여유롭게 살아가는 법에 대해 조언을 해주었다.

노인의 조언에 영감을 받은 그녀는 자신의 삶을
천천히 되돌아보기 시작했다.
그녀는 일과 삶의 균형을 찾기 위해 노력하기로 결심했다.
평일에는 일을 최대한 줄이고 자신만의 시간을 가져
명상을 하거나 여유있게 시간을 보내려 노력하고
주말에는 자연 속에서 시간을 보내며 작은 것에도
감사하는 마음을 가지려고 노력했다.

시간이 지나면서, 지수의 삶은 눈에 띄게 달라졌다.
그녀는 더 이상 일에 지배당하지 않고,
자신만의 시간을 소중히 여기기 시작했다.
친구들과의 만남, 취미 생활,
그리고 가족과의 시간을 중요시한다.

이제 지수는 바쁜 삶 속에서도 여유를 찾게 되었다.
그녀는 노인에게 배운 교훈을 잊지 않고,
자신만의 여유를 찾아가는 여정을 계속 이어나갔다.

삶의 여러 얼굴들

서울의 한 복잡한 아파트 단지에서 김민석은
새벽에 일어나 커피를 마시며 하루를 시작합니다.
그는 IT 회사에서 일하는 젊은 전문가로,
매일 바쁘게 살아갑니다.
그러나 최근 그는 자신이 정말로 바쁘게 사는 것인지,
아니면 단지 사회적 기준에 맞춰 살아가고 있는 것은
아닌지에 대해 의문을 갖기 시작합니다.

이수진은 평범한 전업주부이지만,
자신의 삶을 돌아볼 때면 항상 뭔가 부족함을 느낍니다.
그녀는 두 아이를 키우며 항상 바쁘게 살아가지만,
이 모든 것이 정말로 자신을 행복하게 하는지
확신할 수 없습니다.
이수진은 친구들과의 점심 모임에서 이런 고민을 나누며
자신만의 삶을 찾기 위한 여정을 시작합니다.

박지훈은 대학생으로,
학업과 아르바이트로 항상 시간에 쫓깁니다.
그는 자신의 미래에 대해 불안함을 느끼며,
이 모든 열심히 살아가는 것이 과연
무엇을 위한 것인지 고민합니다.
어느 저녁,
그는 친구들과의 모임에서 이러한 생각들을 공유하며,
삶의 의미에 대해 다시 생각해 봅니다.

최유나는 중년의 미술 교사로,
자신의 예술적 열정을 학생들의 교육에 헌신적입니다.
그녀는 자신이 열심히 살고 있다고 믿지만,
때때로 교육 체제와 충돌하며 자신의 열정이
정말 가치 있는 것인지 의문을 가집니다.
어느 밤, 그녀는 자신의 작업실에서 이러한 생각들을 담은
캔버스에 마음을 쏟아붓습니다.

김민석, 이수진, 박지훈, 최유나는 각자 다른 방식으로
삶의 의미를 찾아갑니다.
그들은 자신들이 정말로 원하는 것이 무엇인지,
어떡하면 진정한 행복을 찾을 수 있는지 깊이 사색한다.
그들은 각자의 길을 걸으며 삶의 진정한 가치를
찾아가는 모습으로 살아간다.